Download Your Fre

Download your bonus free MP3 audiobook read in English by the author at:

badgerlearning.co.uk/free-audio-downloads

Password: **ADAaudio**

Each book includes a school site license for the related download. This means you can share the files with your colleagues & students within your school only. **Please do not share elsewhere.** You are permitted to share these files with students who are home learning, however the files must not be hosted on a publicly accessible site. Unfortunately we are unable to assist with compatibility queries, please check that your intended devices and/or systems can open MP3s before downloading.

Badger Publishing Limited
Oldmedow Road,
Hardwick Industrial Estate,
King's Lynn PE30 4JJ
Telephone: 01553 816 083
www.badgerlearning.co.uk

2 4 6 8 10 9 7 5 3 1

Renegade Robots ISBN 978-1-78837-803-1

Text © Roger Hurn/Jane A C West 2012
Complete work © Badger Publishing Limited 2012
First edition © 2012
Second edition © 2014
Translated edition © Badger Publishing Limited 2023

All rights reserved. No part of this publication may be reproduced, stored in any form or by any means mechanical, electronic, recording or otherwise without the prior permission of the publisher.

The rights of Roger Hurn & Jane A C West to be identified as authors of this Work has been asserted by them in accordance with the Copyright, Designs and Patents Act 1988.

Editor: Claire Morgan
Translation: Yana Surkova
Design: Adam Wilmott
Illustration: Anthony Williams
Cover design: Adam Wilmott

Renegade Robots
Роботи-відступники

Contents

Зміст

Vocabulary and useful phrases

The red planet = Mars

chop shop = car garage that often operates illegally

Faster Blaster = a type of alien starship

hyperdrive = part of a starship's propulsion system

In the blink of an eye = very quickly

telepod = alien TV

Fed up = unhappy and bored

Лексика та корисні фрази

The red planet = Марс

chop shop = автомобільний гараж, який часто працює нелегально

Faster Blaster = тип інопланетного зорельота

hyperdrive = частина рухової установки зорельота

In the blink of an eye = дуже швидко

telepod = інопланетний телевізор

Fed up = нещасний і нудьгуючий

Book introduction

Jack is an actor who plays an alien detective on a TV show called Sci-Fi Spy Guy.

Wanda is the Galactic Union's Alien Welfare Officer for Earth (an ACTUAL alien detective).

Together, Jack and Wanda are a team called the **Alien Detective Agency**.

STEALTH is the name of Jack's time travelling starship, which stand for **S**pace **T**ripping **E**xtra **A**tomic **L**aser **T**ime **H**opper. It can think and talk for itself, but only Jack and Wanda know this.

This is the story of how Jack and Wanda first meet each other, and decide to form the Alien Detective Agency.

Вступ до книги

Джек - актор, який грає інопланетного детектива в телевізійному шоу під назвою "Науково-фантастичний шпигун".

Ванда - офіцер Галактичного союзу з питань добробуту інопланетян на Землі (СПРАВЖНІЙ інопланетний детектив).

Разом Джек і Ванда - це команда під назвою «**Інопланетне детективне агентство**».

СТЕЛС - це назва мандрівного в часі космічного корабля Джека, що означає «Космічний мегаатомний лазерний стрибун у часі». Він може думати і говорити, але про це знають тільки Джек і Ванда.

Це історія про те, як Джек і Ванда вперше зустрічають один одного і вирішують заснувати «Інопланетне детективне агентство».

Chapter 1
Lost

Jack Swift was in the Martian city of Megapolis and he was lost!

Megapolis lies deep beneath the dusty surface of the red planet. Most human beings don't know about Megapolis and the Martians want to keep it that way.

Jack knows about it — but he was beginning to wish he didn't.

He was trying to remember where he'd parked STEALTH, his Space Tripping Extra Atomic Laser Time Hopper.

The problem was, all the streets looked the same. Jack didn't speak Martian so he couldn't ask anyone for help.

Розділ 1
Загублений

Джек Свіфт опинився у марсіанському місті Мегаполіс і заблукав!

Мегаполіс знаходиться глибоко під запиленою поверхнею червоної планети. Більшість людей не знають про Мегаполіс, і марсіани хочуть, щоб так і залишалося.

Джек знає про нього - але він вже почав про це жалкувати.

Він намагався згадати, де він припаркував СТЕЛС, свій «Космічний мегаатомний лазерний стрибун у часі».

Проблема полягала в тому, що всі вулиці виглядали однаково. Джек не розмовляв марсіанською, тому не міг нікого попросити про допомогу.

The Martians stared at Jack.

“What is the matter with these little blue guys?” Jack muttered nervously. “Anyone would think they’d never seen a cool dude in a bow tie, a tuxedo and trainers before.”

Suddenly, Jack heard a very cross voice shouting in English.

The voice was coming from inside a nearby rocket repair shop. Jack stopped in his tracks.

“Hey, a fellow human,” he said to himself. “Maybe my luck has just changed for the better.”

Jack was wrong — on both counts!

Марсіани витріщились на Джека.

“Що сталося з цими маленькими синіми чоловічками?” - нервово пробурмотів Джек. “Можна подумати, що вони ніколи раніше не бачили крутого чувака в краватці-метелику, смокінгу та кросівках”.

Раптом Джек почув дуже сердитий голос, який кричав англійською.

Голос доносився з сусідньої майстерні з ремонту ракет. Джек зупинився.

“Гей, друже”, - сказав він собі. “Можливо, тобі щойно посміхнулася удача”.

Джек помилявся - в обох випадках!

Chapter 2
The chop shop

Jack stepped inside the garage. He saw a young woman jabbing her finger at a Martian mechanic.

They were standing next to a two-seater Faster Blaster space rocket. Bits of the rocket's hyperdrive were scattered all over the floor.

"You promised me you'd have my Blaster fixed today," she said.

The two mechanics shrugged. "It's not our fault," they said. "We are waiting for the parts, but the delivery robot hasn't come."

The woman groaned. "Well, where is it?"

Then she saw Jack. "Hey, are you the delivery robot?"

Jack frowned. "No way. I'm Jack, the star of 'Sci-Fi Spy Guy'. It's the best show on TV. You must have seen it back on Earth?"

The woman shook her head. "No, sorry."

Розділ 2

Автомайстерня

Джек зайшов у гараж. Він побачив молоду жінку, яка тицяла пальцем у марсіанського механіка.

Вони стояли біля двомісної космічної ракети "Фастер Бластер". Уламки гіпердвигуна ракети були розкидані по всій підлозі.

"Ви обіцяли полагодити мій Бластер сьогодні", - сказала вона.

Двоє механіків знизали плечима. "Це не наша вина", - сказали вони. "Ми чекаємо на запчастини, але робот-кур'єр ще не приїхав".

Жінка застогнала. "Ну, де ж він?"

Потім вона побачила Джека. "Гей, це ти робот-кур'єр?"

Джек насупився. "У жодному разі. Я Джек, зірка "Науково-фантастичного шпигуна". Це найкраще шоу на телебаченні. Ти, напевно, бачила його на Землі?"

Жінка похитала головою. "Ні, вибач"

Then she did a double-take. "Wait a minute. If you're an Earthling, what are you doing here on Mars? It's off-limits to humans."

Jack raised one eyebrow. "Really?" he said. "Well, you're a human and you're here."

"No, and yes," replied the young woman.

Jack looked puzzled. "What do you mean, 'no, and yes'?"

The woman sighed. "No, I'm not human but, yes, I am here."

Jack's jaw dropped. "Then who are you?" he asked.

The woman hesitated for a second then she said, "I'm Wanda Darkstar, the Galactic Union's Alien Welfare Officer for Earth. I'm here in Megapolis trying to collect my space rocket."

Then she folded her arms and stared fiercely at Jack. "Now tell me what you're doing here, Mr Sci-Fi Spy Guy. And it had better be good or I'm going to have you thrown into a Martian jail!"

Потім вона перепитала. “Почекай хвилинку. Якщо ти землянин, то що ти робиш тут, на Марсі? Це заборонено для людей”.

Джек підняв одну брову. “Справді?” - сказав він. “Ну, ти ж також людина і ти тут”.

“І ні, і так”, - відповіла молода жінка.

Джек виглядав спантеличеним. “Що ти маєш на увазі під “і ні, і так”?”

Жінка зітхнула. “Ні, я не людина, але так, я тут”.

У Джека відвисла щелепа. “Тоді хто ти?” - запитав він.

Жінка на секунду завагалася, а потім сказала: “Я Ванда Даркстар, офіцер Галактичного союзу з питань благополуччя інопланетян на Землі. Я тут, у Мегаполісі, намагаюся зібрати свою космічну ракету”.

Потім вона склала руки і люто подивилася на Джека. “А тепер скажи мені, що ти тут робиш, містере Науково-фантастичний шпигун? І краще б це було щось хороше, інакше я відправлю тебе до марсіанської в’язниці!”

Chapter 3
Taxi driver

Jack swallowed hard. “STEALTH brought me here,” he said, “I had no idea Megapolis was off-limits to humans.

So don’t blame me — this is all STEALTH’s fault!”

Wanda frowned. “Who is STEALTH?” she asked.

“It’s my time travelling starship,” Jack replied. “It takes me all over the universe in the blink of an eye. It’s brilliant!”

Wanda stroked her chin. “Hmm... But why did it bring you here?”

Jack shrugged. “I don’t know,” he said. “I asked it to take me somewhere interesting and we ended up in Megapolis. I parked it somewhere and went off to see the sights. Only there aren’t any.”

“That’s true,” said Wanda. “OK, I believe your story. You’re wearing a stupid outfit and yet you still think you look cool — so you are definitely an actor.”

“It’s not a stupid outfit and I am cool,” said Jack crossly.

Wanda rolled her eyes. “Whatever. Now take me to STEALTH.”

Jack looked worried. “Why? Are you going to give me a parking ticket?”

Розділ 3
Таксист

Джек важко ковтнув. “СТЕЛС привіз мене сюди, - сказав він, - я й гадки не мав, що Мегаполіс заборонений для людей. Так що не звинувачуй мене - у всьому винен СТЕЛС!”

Ванда насупилася. “Хто такий СТЕЛС?” - запитала вона.

“Це мій зореліт, що мандрує у часі”, - відповів Джек. “Він переносить мене по всьому Всесвіту за одну мить. Це геніально!”

Ванда погладила своє підборіддя. “Хм... Але чому він привіз тебе сюди?”

Джек знизав плечима. “Я не знаю”, - сказав він. “Я попросив його відвезти мене в цікаве місце, і ми опинилися в Мегаполісі. Я припаркувався і пішов оглядати визначні пам’ятки. Тільки я їх не знайшов”.

“Це правда”, - сказала Ванда. “Гаразд, я вірю твоїй історії. Ти вдягнений у безглузде вбрання, але все одно вважаєш, що виглядаєш круто - значить, ти точно актор”.

“Це не безглузде вбрання, і я крутий”, - сердито відповів Джек.

Ванда закотила очі. “Неважливо. Тепер відведи мене до СТЕЛС”.

Джек виглядав стурбованим. “Навіщо? Ти збираєшся виписати мені штраф за неправильне паркування?”

Wanda shook her head. “No,” she said. “I need you to give me a lift back to Earth.”

Jack sighed. “No can do,” he said. “I don’t remember where I left STEALTH.”

Wanda shrugged. “Don’t worry about that. We can take a robot cab. It will soon track STEALTH down.”

Wanda and Jack left the garage and hailed a cab. They climbed in and the cab hurtled off.

Wanda tapped the robot driver on his shoulder. “Hey, slow down,” she said. “You don’t know where we’re going yet.”

“Hehe Hehe.” The robot gave a sinister chuckle. “Oh yes I do,” he said. “I’m taking you to Tobor.”

Jack scratched his head. “Where is Tobor? Is it a fun place to go?”

The robot laughed. “Hehe Hehe.”

The seat belts snapped shut. Jack and Wanda were trapped!

“Tobor isn’t a place,” he said. “He’s a renegade robot. He wants to meet you. But when you find out his plans for you two, you’ll wish you hadn’t met him!”

Ванда похитала головою. “Ні”, - сказала вона. “Мені потрібно, щоб ти підвіз мене назад на Землю”.

Джек зітхнув. “Не можу”, - сказав він. “Я не пам’ятаю, де залишив СТЕЛС.

Ванда знизала плечима. “Не хвилюйся про це. Ми можемо взяти робот-таксі. Скоро воно знайде СТЕЛС”.

Ванда і Джек вийшли з гаража і зупинили таксі. Вони залізли всередину, і таксі помчало.

Ванда поплескала робота-водія по плечу. “Гей, пригальмуй”, - сказала вона. “Ти ще не знаєш, куди ми їдемо”.

“Хе-хе-хе.” Робот зловісно хихикнув. “О так, я знаю”, - сказав він. “Я везу вас до Тобора.”

Джек почухав голову. “Де знаходиться Тобор? Це цікаве місце?”

Робот засміявся. “Хе-хе-хе”.

Ремені безпеки клацнули. Джек і Ванда потрапили в пастку!

“Тобор - це не місце”, - сказав він. “Це робот-відступник. Він хоче зустрітися з вами. Але коли ви дізнаєтеся про його плани щодо вас двох, ви пошкодуєте, що зустрілися з ним!”

Chapter 4
Tobor

The cab whooshed along the streets until it came to a warehouse in a lonely part of town.

The warehouse doors swung open and they drove inside and stopped.

The place was full of robots of all shapes and sizes.

Two huge robots dragged Jack and Wanda out of the cab. Jack took a swing at one of them.

His fist bounced off the metal monster's chin with a clang. The robot didn't even blink.

"Ouch!" yelled Jack. "That hurt!"

"Really?" said Wanda. "You do surprise me."

"Well, we've got to do something to try and escape," said Jack.

"Agreed," said Wanda. "But hitting a solid steel robot is so not the best way to go about it."

Розділ 4
Тобор

Таксі зі свистом мчало вулицями, поки не під'їхало до складу у відлюдній частині міста.

Двері складу відчинилися, вони заїхали всередину і зупинилися.

Там було повно роботів усіх форм і розмірів.

Два величезні роботи витягли Джека і Ванду з кабіни. Джек замахнувся на одного з них.

Його кулак з ляском відскочив від підборіддя металевого монстра. Робот навіть не моргнув.

"Ой!" - закричав Джек. "Боляче!"

"Справді?" - сказала Ванда. "Ти мене дивуєш".

"Що ж, ми повинні щось зробити, щоб спробувати втекти", - сказав Джек.

"Згодна", - сказала Ванда. "Але бити сталевого робота - це не найкращий спосіб це зробити".

"You can't escape. You are both doomed," screeched a metallic voice.

Jack and Wanda spun round and saw a small robot standing behind them.

It looked like a dustbin on legs. It had the words TOBOR'S RELIABLE ROBOTS in flashing lights on its chest.

"But we haven't done anything," said Jack. "W-W-Well, I haven't. I don't know about Wanda. I've only just met her."

Wanda glared at him. "Of course I haven't, you idiot," she snapped.

Sparks crackled from an aerial on the top of Tobor's head.

“Вам не втекти. Ви обоє приречені”, - прокричав металевий голос.

Джек і Ванда обернулися і побачили маленького робота, який стояв позаду них.

Він був схожий на смітник на ніжках. На його грудях блимали слова “НАДІЙНІ РОБОТИ ТОБОРА”.

“Але ж ми нічого не зробили”, - сказав Джек. “Нууу, я не зробив. Не знаю, як Ванда. Я з нею щойно познайомився”.

Ванда витріщилася на нього. “Звичайно, ні, ідіоте”, - огризнулася вона.

Іскри затріщали з антени на маківці голови Тобора.

"You can't fool me," he snarled. "I know who you are and why you are here. You are Sci-Fi Spy Guy, the galaxy's greatest secret agent, and you're trying to foil my robot revolution."

"He's not a secret agent," said Wanda. "He's an actor in a TV show."

Tobor's eyes blazed like fiery headlights.

"Be silent!" he screamed. "I watch the news on the telepod and every week this man saves the world from disaster. Well, he's not going to do it this week!"

Jack held up his hand. "Err... that's not the news," he said. "Um, I hate to admit it, but Wanda's right. It's just a TV show."

"Pah!" spat Tobor. "Well, I've got news for you, Spy Guy. You have finally met your match. I am too smart for you. My robots are going to take over Megapolis and then we will invade Earth. And there is nothing you or Wanda Woman can do to stop us!"

“Тобі мене не обдурити”, - гаркнув він. “Я знаю, хто ти і чому ти тут. Ти науково-фантастичний шпигун, найвидатніший секретний агент галактики, і ти намагаєшся зірвати мою революцію роботів”.

“Він не секретний агент,” - сказала Ванда. “Він актор телешоу”.

Очі Тобора спалахнули, як вогняні фари.

“Мовчи!” - закричав він. “Я дивлюся новини по телевізору, і щотижня цей чоловік рятує світ від катастрофи. Так ось, цього тижня він цього не зробить!”

Джек підняв руку. “Е-е... це не новини”, - сказав він. “Хм, мені неприємно це визнавати, але Ванда має рацію. Це просто телевізійне шоу”.

“Тьфу!” - сплюнув Тобор. “Що ж, я маю для тебе новини, шпигуне. Нарешті ти зустрів собі рівного. Але я розумніший за тебе. Мої роботи збираються захопити Мегаполіс, а потім ми вторгнемося на Землю. І ні ти, ні Ванда не зможете нас зупинити!”

Chapter 5

Alien Detective Agency

Tobor clapped his iron hands together. “Terminate the humans,” he screeched.

The two metal monsters lurched towards Jack and Wanda.

“I’m not a human,” yelled Wanda.

The two big robots stopped. They looked at each other.

“We are not programmed to terminate ‘not humans’,” they said.

Tobor clanked and clunked in fury.

“You will do as I order you,” he howled. “Terminate them!”

Розділ 5
Інопланетне детективне агентство

Тобор плеснув залізними долонями. “Знищити людей”, - закричав він.

Два металеві монстри кинулися до Джека та Ванди.

“Я не людина”, - закричала Ванда.

Два великих робота зупинилися. Вони подивилися один на одного.

“Ми не запрограмовані знищувати “не людей”, - сказали вони.

Тобор почав лютувати.

“Ви зробите те, що я вам наказую”, - завив він. “Знищіть їх!”

"Hang on," said Wanda. "Aren't all you robots rebelling because you are sick of taking orders?"

"That's right," said one of the big robots. "We are totally fed up with it."

"We won't be bossed around any more," said the second big robot.

"From now on nobody tells us what to do!" yelled all the other robots. "They must say 'please' and 'thank you'."

"So, why are you taking orders from TOBOR?" asked Jack. "He is bossier than anybody."

Bright red sparks shot out from TOBOR's ears. "You robots will do as I say," he screamed. "Do not listen to the humans. I forbid it."

"There he goes again," said Wanda. "Jack's right. TOBOR is just so bossy!"

All the robots nodded their heads. "We agree," they said. "TOBOR must be stopped."

The two big robots swung round and began to march towards the furious robot.

“Стривайте, - сказала Ванда. “Хіба роботи не бунтують, коли їм набридає виконувати накази?”

“Саме так”, - відповів один з великих роботів. “Ми ситі цим по горло”.

“Нами більше не керуватимуть”, - сказав другий великий робот.

“Відтепер ніхто не буде вказувати нам, що робити!” - закричали всі інші роботи. “Вони повинні говорити “будь ласка” і “дякую”.

“А чому ж ви виконуєте накази Тобора?” - запитав Джек. “Він має найбільше влади”.

З вух Тобора вилетіли яскраво-червоні іскри.

“Роботи, ви будете робити те, що я скажу”, - закричав він. “Не слухайте людей. Я забороняю”.

“Він знову за своє”, - сказала Ванда. “Джек має рацію. Тобор такий владний!”

Всі роботи кивнули головами. “Ми згодні”, - сказали вони. “Тобора треба зупинити”.

Два великих робота розвернулися і рушили до розлюченого робота.

"No! I am your leader," he shrieked. "You must obey me!"

Jets of red laser light shot out of the eyes of the two robots. The laser beams froze TOBOR to the spot.

The robots reprogrammed him.

When they had finished, TOBOR smiled at Jack and Wanda. "Hello, Sir and Madam," he said. "How may TOBOR's RELIABLE ROBOTS help you today?"

"We'd like a cab to take us to STEALTH, please," said Jack.

TOBOR clapped his hands together. "Of course, sir," he said. "Your wish is our command."

Jack grinned. "Hey," he said. "I've just saved the world – again!"

“Ні! Я ваш лідер”, - закричав він. “Ви повинні підкорятися мені!”

З очей двох роботів вистрілили струмені білого лазерного світла. Лазерні промені заморозили Тобора на місці.

Роботи перепрограмували його.

Коли вони закінчили, Тобор посміхнувся Джеку і Ванді. “Доброго дня, сер і мадам”, - сказав він. “Чим сьогодні можуть допомогти вам НАДІЙНІ РОБОТИ ТОБОРА?”

“Гм, ми б хотіли, щоб таксі відвезло нас до СТЕЛС, будь ласка”, - сказав Джек.

Тобор плеснув у долоні. “Звичайно, сер”, - сказав він. “Ваше бажання - наш наказ”.

Джек посміхнувся. “Гей,” - сказав він. “Я щойно врятував світ - знову!”

Wanda frowned. "I think you mean we saved it, don't you?"

Jack nodded. "I guess so."

Wanda grinned at him. "And somehow I think you're going to need my help next time the Earth needs saving. So maybe we should team up as the 'Alien Detective Agency'."

"It's a deal," said Jack. "But remember – I get to wear the tuxedo!"

Ванда насупилася. "Я думаю, ти маєш на увазі, що ми врятували його, чи не так?

Джек кивнув. "Так, мабуть, так".

Ванда посміхнулася йому. "І мені чомусь здається, що наступного разу, коли Земля потребуватиме порятунку, тобі знадобиться моя допомога. Тож, можливо, нам варто об'єднатися в Інопланетне детективне агентство".

"Домовились", - сказав Джек. "Але пам'ятай – яноситиму смокінг!"